Pour être tenu au courant de nos publications,
envoyez vos coordonnées à :
Editions La Plage – 60, rue Monsieur-le-Prince – 75006 Paris
edition@laplage.fr
www.laplage.fr

© Éditions La Plage, Paris, 2015
ISBN : 978-2-84221-404-3
Conception graphique : David Cosson – dazibaocom.com

Imprimé sur du papier issu de forêts gérées durablement,
à Barcelone, sur les presses de Beta (ES), imprimeur labellisé
pour ses pratiques respectueuses de l'environnement.

25 ASSIETTES Vegan

textes et photographies
Marie Laforêt

éditions La plage

sommaire

ASSIETTES POUR RECEVOIR

ASSIETTES DE SAISON

PRINTEMPS

ÉTÉ

AUTOMNE

HIVER

ASSIETTES EXPRESS

INTRODUCTION

Se lancer dans la cuisine vegan est une véritable aventure. On découvre des goûts et des ingrédients nouveaux, une autre manière de faire ses courses et de penser la préparation des repas. Si composer des assiettes équilibrées est naturel pour certaines personnes, pour d'autres, associer les saveurs, les textures et les différents groupes d'aliments est un vrai casse-tête.

C'est la raison pour laquelle ce livre propose des idées d'assiettes complètes, nourrissantes et savoureuses, que ce soit pour recevoir ou pour préparer en peu de temps le repas quotidien. Accompagnées d'idées gourmandes et de pistes pour les faire évoluer en fonction des saisons ou de vos goûts, ces idées de repas aux couleurs variées vous guideront toute l'année vers une cuisine inventive et riche, où le végétal est mis à l'honneur. Vous découvrirez comment cuisiner les produits emblématiques de la cuisine vegan, tels que le tofu et le tempeh, les légumineuses et les céréales, et bien sûr, les légumes. Vous vous essayerez aussi à d'autres cultures culinaires du monde et saurez combiner avec brio les aromates et les épices pour des repas inspirés. Plus qu'une simple introduction aux bases de la cuisine vegan, cet ouvrage vous propose 25 assiettes, tour à tour traditionnelles ou innovantes.

comment composer des repas équilibrés ?

Lorsque l'on commence à se renseigner sur comment « bien » manger, on est évidement confronté à cette injonction de toute part : il faut manger équilibré. Mais comment aboutir à cet équilibre alimentaire ? Aucun aliment ne permet à lui seul de couvrir tous nos besoins, c'est donc en combinant les différents groupes d'aliments que l'on peut composer une alimentation saine.

LES LÉGUMES

Riches en minéraux, vitamines, fibres et contenant également un peu de protéines, les légumes devraient représenter la moitié de notre assiette. Mention spéciale aux choux et aux feuilles vertes, qui sont presque à eux seuls un groupe à part entière tant leur concentration en micronutriments et composés antioxydants (et donc anti-cancer) est incroyable !

LES FRUITS FRAIS

Riches en vitamines, en minéraux, en antioxydants et en eau, les fruits constituent des en-cas, des petits déjeuners ou même des desserts parfaits. Ils peuvent se glisser dans de nombreux plats. On recommande de consommer 5 fruits et légumes par jour, mais il s'agit bien d'un minimum.

LES LÉGUMINEUSES

Lentilles, haricots, fèves, soja et pois divers sont les stars de l'alimentation vegan. Riches en protéines mais aussi sources de fer, de calcium et de fibres, les légumineuses sont des aliments de choix pour un apport en protéines, et sont exempts de graisses saturées, contrairement aux produits d'origine animale.

LES CÉRÉALES

De préférence complètes, avec ou sans gluten, pensez à varier régulièrement vos céréales pour éviter de se retrouver à manger systématiquement des pâtes ou du riz blanc. On pense au petit épeautre, à la farine de maïs, au quinoa (même si ce n'est pas vraiment une céréale !), à l'avoine... Riches en glucides, les céréales forment avec les légumineuses et les oléagineux le trio de choc des sources de protéines végétales.

LES OLÉAGINEUX

Ces fruits ou graines dont on peut tirer de l'huile sont particulièrement intéressants d'un point de vue nutritionnel. Ils sont riches en protéines et en acides gras divers, notamment en oméga-3 pour les noix, les grains de lin, de chanvre ou de chia.

Les bons réflexes
à adopter

VARIER

La variété est une des clés de l'alimentation équilibrée. Tous les légumes n'ont pas le même profil nutritionnel, il en est de même pour les céréales et les légumineuses. En variant régulièrement on s'assure d'une alimentation plus complète. Même chose pour les huiles et les oléagineux, il est important de varier les huiles et les graines pour des apports équilibrés en acides gras, et d'inclure des huiles ou graines riches en oméga-3.

MODÉRER

S'il est reconnu par de nombreuses études que les personnes ayant opté pour une alimentation végétarienne ou vegan sont en meilleure santé, il est tout à fait possible de « mal » manger en étant vegan. Il convient donc de limiter les aliments et les boissons sucrés, les produits industriels gras et salés, et de privilégier les recettes maisons, les fruits frais ou séchés pour les petites faims, et éviter de consommer trop de nourriture, tout simplement.

CUISINER

Des études ont mis en avant que les personnes qui cuisinent leurs repas consomment moins de sucre et de gras que les autres, et ont également moins tendance à se tourner vers la *malbouffe* lorsqu'elles mangent à l'extérieur. Sachant que l'obésité touche aujourd'hui environ 30 % de la population mondiale, cuisiner nos repas relève non seulement du bon sens, mais aussi d'une véritable hygiène de vie.

LES PROTÉINES VÉGÉTALES

Nous savons aujourd'hui que les protéines végétales ne sont pas de plus mauvaise qualité que les protéines animales, bien au contraire. Leur assimilation par l'organisme est équivalente. Certains aliments comme le tofu ou le quinoa présentent même des compositions en acides aminés très proches de celles de la viande, ce qui fait d'eux de très bons substituts.
Il est même plus intéressant pour la santé d'opter pour des sources de protéines végétales. En effet, céréales et légumineuses, contrairement à la viande, aux œufs ou au fromage, ne sont pas chargés en acides gras saturés, et aident donc à réduire les risques de maladies cardio-vasculaires. Par ailleurs, dans notre société où l'alimentation est abondante, manger en quantité suffisante permet de couvrir ses besoins en protéines : à moins de se sous-alimenter, il n'y a aucun risque de manque ! Le vrai risque, y compris pour les végétaliens, serait au contraire une surconsommation de protéines. C'est pourquoi il est important, lorsque l'on opte pour une alimentation 100 % végétale, de ne pas chercher à compenser un éventuel manque de protéines en augmentant considérablement ses rations alimentaires, ou en consommant trop d'aliments riches en protéines (soja, quinoa, *viandes* végétales riches en gluten, etc.).

LES COMBINAISONS GOURMANDES

On cite souvent les associations traditionnelles de céréales et de légumineuses comme bons exemples pour équilibrer un repas. Bien que l'on sache aujourd'hui qu'il ne soit pas nécessaire de les associer systématiquement pour assimiler les protéines, ces aliments restent une très bonne base pour composer des repas gourmands et rassasiants. Voici quelques idées bien connues des amateurs de cuisine du monde.

POIS CHICHES ET SEMOULE OU BOULGOUR

Qu'il s'agisse d'un couscous, de falafels ou de houmous accompagnés de taboulé ou d'un plat de boulgour, cette association traditionnelle fait partie des grands classiques de la cuisine orientale, souvent vegan.

À associer avec : poivrons, tomate, persil, menthe, coriandre, muscade, cannelle, aubergine, ras el hanout, raisins secs...

LENTILLES ET RIZ

Direction l'Inde avec ces deux aliments très emblématiques. Dhal, pulao, biryani, curry, à vous de choisir votre camp !

À associer avec : tomates, lait de coco, pâte de curry, courgettes, aubergines, pommes de terre, épinards, garam massala, coriandre, curcuma, gingembre, fenugrec, cardamome, nigelle, raïta, chutney...

MAÏS ET HARICOTS ROUGES OU NOIRS

C'est le duo traditionnel de l'Amérique centrale hérité de la civilisation maya. Si l'on s'en sert abondamment dans la cuisine vegan occidentale pour réaliser des *chili sin carne*, il faut rappeler que ce plat est une invention américaine qui est surtout servi au Texas. Quelques idées pour varier : burger de haricots noirs au maïs et à la patate douce, boulettes de haricots rouges à la polenta (voir la recette de boulettes de tofu page 34), galettes de maïs dorées au four et soupe de haricots rouges épicée, salade de haricots et maïs doux aux herbes...

À associer avec : coriandre, avocat, tomate, piments, patate douce, courges, cumin, citron vert...

BLÉ ET SOJA

Nouilles chinoises au tofu, soupe de ravioli ou recettes plus occidentales, ces deux ingrédients sont extrêmement polyvalents et peuvent presque tout faire !

À associer avec : tout ce que vous voulez ! Leurs saveurs « passe-partout » permettent de les cuisiner de mille et une façons.

•

complémentarité céréales-légumineuses :
mythe ou réelle nécessité ?

Les acides aminés qui composent les protéines sont présents en quantités différentes selon les aliments végétaux. On a longtemps cru qu'il était indispensable d'associer céréales et légumineuses au même repas pour pouvoir assimiler correctement les protéines. On sait aujourd'hui que cela n'est pas nécessaire. Alterner différentes céréales et légumineuses sur la journée - ou même sur deux jours – permet, sans aucun problème, d'assurer ses apports en protéines. Mais cela ne nous empêche pas de les associer pour se régaler : un couscous sans pois chiches c'est quand même moins gourmand ! Encore une fois, manger en quantité suffisante des aliments variés permet sans devoir faire de savants calculs de couvrir nos besoins. Vous verrez que les céréales et légumineuses sont souvent associées dans les assiettes présentées dans ce livre, le but étant de vous proposer des recettes complètes et gourmandes composées de plusieurs préparations. Vous pouvez tout à fait réaliser indépendamment ces préparations et les associer avec d'autres recettes, selon vos préférences.

Pour les enfants, il conviendra en revanche de composer des repas plus complets et d'associer autant que possible céréales et légumineuses. Du fait de leur croissance, leur assimilation des acides aminés et leurs besoins sont légèrement différents de ceux des adultes. Mais là encore rien de compliqué ; un morceau de pain par exemple est une portion de céréale, un yaourt à base de soja représente une portion de légumineuse, etc. Je vous invite à consulter les différents livres parus sur l'alimentation des enfants végétariens ou vegan.

GLUTEN ET SOJA

Les intolérances, sensibilités ou allergies à ces deux ingrédients sont assez courantes, c'est pourquoi lorsque c'est possible j'indique sous la recette comment réaliser une version sans gluten ou sans soja. Je tiens pourtant à préciser que rien à l'heure actuelle, au vu des études scientifiques en matière de nutrition, n'indique qu'il est préférable pour la santé de supprimer ces deux aliments s'il n'y a pas de contre-indication médicale. Il n'est évidemment pas question de ne consommer que des repas à base gluten et de soja, mais une consommation quotidienne dans des proportions normales ne présente aucun risque pour la santé. La consommation de soja joue même plutôt, au vu des études réalisées, un rôle protecteur notamment contre le cancer du sein.[1]

[1] Lamartiniere CA, "Protection against breast cancer with genistein: a component of soy", Am J Clin Nutr, juin 2000, vol. 71, n° 6, 1705S-1707S

assiettes
pour recevoir

mezze libanais

Les restaurants libanais sont souvent prisés des vegans pour leurs recettes végétales savoureuses. Rien de plus facile que de les réaliser chez soi, pour un repas convivial et complet où chacun composera son assiette au gré de ses envies.

FALAFELS

• 500 g de pois chiches ayant trempés 24 h • 1 oignon • 3 gousses d'ail • 1 bouquet de persil • 1/2 bouquet de coriandre • 2 c. à s. de graines de sésame • 2 c. à c. de cumin moulu • 1 c. à c. de coriandre moulue • 1/2 c. à c. de piment moulu • 1 c. à c. de bicarbonate de soude • Huile végétale spéciale cuisson

Placer les pois chiches dans le bol d'un robot ménager, avec la lame en S. Émincer l'oignon et l'ail, retirer les tiges du persil et de la coriandre, puis ajouter les feuilles aux pois chiches. Ajouter les épices, le bicarbonate et saler légèrement. Mixer pour obtenir une préparation granuleuse sans morceaux. Transvaser au centre d'un torchon propre, refermer le torchon et presser pour bien égoutter et faire sortir un maximum de jus, afin d'assécher la pâte. Remettre dans le bol du robot et mixer de nouveau pour obtenir une pâte plus fine. Faire chauffer quelques centimètres d'huile spéciale cuisson dans une petite casserole. Former des boulettes de pâte de taille moyenne en pressant bien entre les paumes des mains. Faire cuire les falafels en faisant tourner la casserole pour qu'ils roulent et cuisent de manière homogène. Retirer avec une écumoire lorsque les falafels sont dorés et les déposer sur une assiette creuse recouverte de papier absorbant.

MOUTABAL

• 3 aubergines • 2 c. à s. de tahin • 2 c. à s. d'huile d'olive • 1 c. à s. de jus de citron • 1 gousse d'ail • 4 c. à s. de yaourt de soja

Couper les aubergines en deux et les faire cuire au four à 200 °C pendant environ 20 minutes. Laisser refroidir, puis récupérer la chair cuite. Mixer au mixeur plongeant avec les autres ingrédients jusqu'à obtenir une texture lisse et crémeuse.

BOULGOUR À LA TOMATE

• 250 g de boulgour • 3 c. à s. d'huile d'olive • 1 oignon • 3 gousses d'ail • 1 c. à c. de muscade moulue • 1/2 c. à c. de cannelle moulue • 1/4 de c. à c. de piment moulu • 1 c. à c. de coriandre moulue • 150 g de tomates cerises • 1 c. à s. de concentré de tomate • 2 c. à s. de persil haché • 2 c. à s. de menthe hachée • 1 c. à s. de coriandre hachée

Faire cuire le boulgour dans une grande casserole d'eau salée. Bien l'égoutter. Dans une grande poêle, faire chauffer l'huile d'olive. Y faire revenir à feu vif l'oignon et l'ail émincés. Ajouter le boulgour. Baisser à feu moyen, ajouter les épices et les tomates cerises coupées en quarts. Cuire 5 à 10 minutes, ajouter le concentré de tomate et les herbes. Cuire 5 minutes supplémentaires. Servir froid ou chaud.

WOK
aux protéines de soja et aux petits légumes

L'avantage de la cuisson au wok c'est sa rapidité qui permet à la fois un gain de temps précieux et une meilleure conservation des nutriments des légumes. Besoin d'une idée pour un repas équilibré et prêt en quelques minutes ? Cette recette est faite pour vous !

• 500 g de nouilles asiatiques sans œufs • 1 c. à s. de miso d'orge • 60 g de protéines de soja texturées taillées en «allumettes» • 200 g de brocoli en fleurettes • 2 feuilles de kale • 1 oignon • 2 c. à s. d'huile de sésame toasté • 1 c. à s. d'huile de tournesol • 2 gousses d'ail émincées • 2 c. à c. de gingembre haché • 2 c. à s. de tamari • 2 c. à c. de graines de sésame complet

Couvrir les nouilles d'eau bouillante dans un saladier et laisser ramollir 5 à 10 minutes. Égoutter et réserver au chaud. Dans un bol, mélanger le miso avec de l'eau bouillante et y faire réhydrater les protéines de soja texturées pendant 5 à 10 minutes. Égoutter et réserver. Émincer le brocoli. Retirer les tiges des feuilles de kale et émincer en fines lanières. Émincer l'oignon en fines lamelles. Dans un wok (ou à défaut une sauteuse) faire chauffer les huiles à feu vif, ajouter l'ail et le gingembre, puis l'oignon, les protéines de soja égouttées, le brocoli et le kale émincés. Faire sauter quelques minutes, ajouter le tamari. Servir avec les nouilles chaudes et parsemer de graines de sésame.

VARIANTE
Ajouter les nouilles dans le wok en fin de cuisson, mélanger et faire sauter l'ensemble pendant une à deux minutes.

VERSION SANS SOJA
Utiliser du seitan coupé en lamelles, sans passer par l'étape de réhydratation au miso.

BIRYANI
aux aubergines et raïta

Plat unique à base de riz et riche en épices, le biryani indien se prête à merveille à une version vegan. Les aubergines fondantes remplacent la viande pour un plat plus léger mais tout aussi nourrissant.

BIRYANI

• 300 g de riz basmati • 1,5 l d'eau • 2 grosses aubergines • 3 c. à s. d'huile végétale • 1 oignon • 2 gousses d'ail • 2 c. à c. de gingembre finement émincé • 1/2 c. à c. de cumin moulu • 1/2 c. à c. de clou de girofle moulu • 1/2 c. à c. de cannelle moulue • 1/2 c. à c. de piment moulu • 1 c. à c. de garam massala • 1 c. à c. de curcuma • 350 ml d'eau • 1/2 c. à c. de sel • 1 poignée de raisins secs • 100 g de yaourt de soja • 2 c. à s. de menthe fraîche ciselée • 2 c. à s. de persil frais ciselé

Laver le riz dans un chinois. Faire bouillir l'eau dans une casserole, saler. À ébullition verser le riz, et cuire environ 8 minutes à partir de la reprise de l'ébullition, le riz doit rester ferme. Égoutter et rincer à l'eau froide. Réserver. Couper les aubergines en morceaux de taille moyenne. Faire chauffer l'huile dans une grande poêle, à feu vif, y ajouter l'oignon et l'ail finement émincés ainsi que le gingembre et les épices, bien mélanger. Ajouter les aubergines, bien mélanger de nouveau pour qu'elles soient imprégnées d'huile et d'épices. Cuire 1 à 2 minutes puis verser l'eau. Cuire environ 10 minutes à feu moyen jusqu'à ce que les aubergines soient fondantes. Si besoin, ajouter quelques cuillerées à soupe d'eau. Saler, ajouter les raisins secs et le yaourt de soja. Bien mélanger. Mélanger le riz aux aubergines, ajouter les herbes et servir la raïta.

RAÏTA

• 200 g de yaourt de soja • 50 g de concombre • 1/2 c. à c. de sel • 2 c. à s. de menthe ciselée • 1/2 c. à c. de cumin moulu • 1/2 c. à c. de piment (facultatif)

Dans un bol, mélanger le yaourt avec le concombre finement émincé, le sel et les aromates. Garder au frais.

IDÉE GOURMANDE

Pour encore plus de saveur, accompagner d'un chutney de mangue.

TOFISH & CHIPS

Remplacer le poisson n'est pas forcément évident dans la cuisine vegan, mais cette recette inspirée de celle servie au pub Norman's Coach & Horses à Londres est tout simplement bluffante. Un exemple de plus des innombrables possibilités que nous offre le tofu.

TOFISH

• 2 c. à s. de mélange d'algues en paillettes • 2 c. à s. de tamari • 4 blocs de 125 g de tofu ferme • 100 g de farine d'épeautre • 50 g de polenta • 20 cl de bière blonde vegan • 2 feuilles de yaki nori • Huile végétale spéciale cuisson

Dans un plat, mélanger les algues en paillettes et le tamari avec de l'eau chaude. Y faire mariner le tofu pendant 1 heure. Bien éponger le tofu dans du papier absorbant. Dans un bol mélanger la farine d'épeautre et la polenta, et assaisonner. Verser la bière en mélangeant à la fourchette pour obtenir une pâte lisse et épaisse. Couper les feuilles de yaki nori en deux et recouvrir chaque bloc de tofu à l'aide d'une demi-feuille. La faire bien adhérer au tofu, et en couper l'excédent. Faire chauffer un fond d'huile dans une grande poêle, tremper les blocs de tofu dans la pâte et faire frire quelques minutes de chaque côté, pour que l'extérieur soit bien doré. Servir avec la sauce tartare, des frites maison cuites au four et des petits pois cuits à la vapeur.

SAUCE TARTARE

• 100 g de tofu ferme • 6 c. à s. de crème soja cuisine • 4 c. à s. de yaourt de soja • 2 c. à s. de moutarde • 1 c. à s. de ciboulette ciselée • 1 c. à s. de persil haché • 1 c. à c. de cerfeuil séché • 1 c. à c. d'estragon séché • 45 g de cornichons • 25 g de câpres

Émietter le tofu et mixer avec la crème de soja, le yaourt et la moutarde. Verser dans un bol, ajouter les herbes, les cornichons et câpres finement hachés, et saler selon votre goût.

CHILI CHIPOTLE

En utilisant des haricots rouges pour remplacer la viande de ce plat populaire du sud des États-Unis, on obtient un plat tout aussi nourrissant et riche en protéines. Assaisonné avec du piment chipotle (piment jalapeño fumé) et servi avec un riz maïs-coriandre et de l'avocat, on se rapproche de saveurs plus mexicaines pour un repas haut en couleur très réconfortant.

CHILI CHIPOTLE

• 1 oignon • 3 gousses d'ail • 3 c. à s. d'huile d'olive • 1 c. à c. de cumin moulue • 1 c. à c. de coriandre moulue • 1 c. à c. de paprika • 2 c. à c. d'origan séché • 1/2 c. à c. de piment chipotle en poudre • 500 g de haricots rouges cuits • 400 g de tomates concassées • 2 c. à s. de tamari

Émincer l'oignon et l'ail et les faire revenir dans une sauteuse à feu moyen avec l'huile d'olive. Ajouter les épices et les haricots rouges et cuire 5 minutes. Ajouter les tomates concassées et le tamari et cuire environ 15 minutes à feu doux. Rectifier l'assaisonnement.

RIZ CORIANDRE-MAÏS

• 300 g de riz blanc long • 2 épis de maïs frais • 3 c. à s. d'huile d'olive • 3 c. à s. de coriandre fraîche hachée • citron vert • 1 avocat • crème aigre vegan

Cuire le riz et l'égoutter. Au couteau, prélever les grains de maïs des épis. Faire sauter le riz et les grains de maïs dans une grande poêle avec l'huile d'olive, ajouter la coriandre et assaisonner. Servir avec des quartiers de citron vert, 1 avocat et de la crème aigre maison.

CRÈME AIGRE MAISON

Mélanger 8 c. à s. de crème de soja, 6 c. à s. de yaourt de soja, 2 c. à s. de jus de citron et 1/4 de c. à c. de sel.

salade gourmande
au quinoa

Ah le quinoa ! Souvent présentée comme l'aliment emblématique de la cuisine végétarienne, cette pseudo-céréale riche en protéines est un vrai trésor culinaire. Pour peu que l'on se donne la peine de la sortir de son éternel rôle d'accompagnement pour la mettre sur le devant de la scène, elle saura révéler son côté ultra-gourmand.

• 250 g de patates douces épluchées • 200 g de carottes • 1,5 c. à s. d'huile d'olive
• 1 c. à c. de coriandre moulue • 1 c. à c. de cumin moulu • 250 g de quinoa rouge
• 5 échalotes • 2 c. à s. d'huile de noix • 3 c. à s. de menthe ciselée • 30 g d'amandes effilées
• 50 g de noix de pécan • 50 g de raisins secs • 1/2 c. à c. de coriandre moulue
• 1/2 c. à c. de cumin moulu • 1/4 de c. à c. de cannelle moulue • 1/2 citron

Couper les patates douces et les carottes en morceaux. Les déposer sur une plaque recouverte de papier cuisson ou dans un plat. Arroser avec l'huile d'olive et les épices et bien mélanger avec les mains. Cuire au four 20 min à 200 °C, puis laisser tiédir.
Rincer le quinoa, le cuire dans une grande casserole d'eau salée et bien égoutter. Couper les échalotes en 4 et les faire poêler à feu vif avec un peu d'huile. Dans un saladier, mélanger le quinoa cuit, les légumes rôtis aux épices et les échalotes. Ajouter l'huile de noix, la menthe, les oléagineux, les raisins et enfin les épices. Bien mélanger.
Assaisonner selon votre goût et servir avec un filet de jus de citron.

IDÉE GOURMANDE
Réaliser une version estivale en utilisant des poivrons et des artichauts grillés.

PIZZA-PITA
et houmous aux herbes

Une astuce bien connue des amateurs de pizza pressés par le temps pour confectionner des minipizzas en quelques minutes. Accompagnées d'un houmous vert riche en calcium, ces pizzas aux légumes colorées se feront idéales pour un apéro-repas ou une soirée pizza improvisée au cours de laquelle chacun pourra créer sa spécialité.

PIZZA

• 4 pains pita • 4 c. à s. de passata • 1/2 poivron jaune • 4 tomates cerises • 4 tomates séchées • 1/2 oignon rouge • Origan • Huile d'olive • Herbes fraîches

Déposer les pains pita sur une plaque recouverte de papier cuisson. Saler et poivrer la passata et étaler une cuillerée à soupe sur chaque pita. Répartir les légumes préalablement coupés en lamelles, en quartiers pour les tomates cerises. Saupoudrer d'un peu d'origan, ajouter un filet d'huile d'olive et saler. Cuire à 200 °C pendant 8 minutes environ.

HOUMOUS

• 75 g de pois chiches cuits • 1 petite gousse d'ail • 3 c. à s. de tahin • 3 c. à s. d'huile d'olive • 3 c. à s. de jus de citron • 1 c. à s. de ciboulette ciselée • 4 c. à s. de persil ciselé • 3 c. à s de menthe ciselée • 5 c. à s. d'eau

Verser les pois chiches, l'ail émincé, le tahin, l'huile et le jus de citron dans le bol du mixeur plongeant. Mixer pour obtenir une texture homogène, ajouter la ciboulette, 3 c. à s. de persil et 2 c. à s. de menthe, l'eau et bien mixer. Saler selon votre goût et verser dans un bol. Mélanger les herbes restantes finement ciselées au houmous à l'aide d'une fourchette.

IDÉE GOURMANDE

Pour des pizzas plus riches, ajouter des rondelles de mozzarella vegan faite maison. Ce houmous sera parfait pour farcir des légumes ou des roulés, et accompagner des légumes grillés.

VERSION SANS GLUTEN

Pour une recette express, utiliser des tortilla de maïs à garnir de la même manière et à faire cuire quelques minutes seulement, ou des tranches de pain sans gluten.

BROCHETTES DE TOFU FUMÉ
et légumes marinés

Rien de plus simple que de réaliser des brochettes vegan ! Le tofu fumé sera ici votre meilleur allié : riche en saveur, d'une tenue parfaite et tout aussi nourrissant que la viande qu'il remplace à merveille. Ces brochettes se réalisent aussi au four, pour en profiter toute l'année.

MARINADE

• 2 c. à s. de moutarde • 1/2 c. à c. de harissa • 1 citron • 4 c. à s. de tamari • 6 c. à s. d'huile d'olive

Dans un bol, mélanger les ingrédients de la marinade, en les ajoutant un par un et en mélangeant bien entre chaque ingrédient.

BROCHETTES

• 200 g de tofu fumé • 1 courgette • 70 g de shiitakés

Couper le tofu fumé en dés et les légumes en morceaux. Mettre dans le bol de marinade, et mélanger pour bien imprégner les morceaux. Faire mariner 1 à 2 h en mélangeant régulièrement. Former 4 brochettes et cuire quelques minutes au barbecue ou à 200 °C au four pendant 5 minutes.

FRITES DE PATATES DOUCES AUX HERBES

• 2 grosses patates douces • Huile d'olive • 1 c. à s. d'herbes de Provence

Couper les patates douces en frites, les déposer sur une plaque recouverte de papier cuisson, arroser d'un peu d'huile d'olive, ajouter les herbes et saler, bien mélanger avec les mains. Cuire 20 min à 200 °C au four.

IDÉE GOURMANDE

Accompagner d'une mayonnaise vegan aux noix de cajou, ou de sauce tartare (Voir page 24).

VERSION SANS SOJA

Remplacer le tofu par des dés de seitan ou des légumes. Pour une touche fumée, ajouter quelques gouttes de *liquid smoke* à votre marinade.

SPAGHETTI
et boulettes à la sauce tomate

Je partage ici avec vous une de mes astuces préférées pour remplacer les œufs et confectionner des boulettes vegan qui se tiennent bien : utiliser de la polenta. Elle va permettre d'agglomérer la préparation en gonflant grâce à l'humidité du tofu. Magique !

BOULETTES

• 2 échalotes • 1 c. à s. d'huile d'olive • 200 g de tofu ferme • 50 g de polenta

Émincer les échalotes et les faire revenir à feu vif avec l'huile d'olive 5 minutes pour qu'elles soient bien dorées. Émietter le tofu, le mélanger avec les échalotes dans un saladier, y ajouter la polenta et assaisonner.

SAUCE

• 1 oignon • 2 gousses d'ail • 3 c. à s. d'huile d'olive • 400 ml de coulis de tomates
• 1 c. à s. de basilic haché • 1 c. à s. de persil haché • 1 c. à c. de thym

• 400 g de spaghettis

Émincer l'oignon et l'ail, les faire revenir à feu moyen dans une casserole avec l'huile d'olive pendant 5 minutes. Ajouter le coulis de tomates et les herbes et cuire 5 minutes supplémentaires. Saler et poivrer. Cuire les spaghettis dans un grand volume d'eau salée. Servir les spaghettis avec la sauce, surmontées de quelques boulettes.

IDÉE GOURMANDE

Cette recette de boulettes est une base que vous pouvez décliner très facilement, en utilisant par exemple du tofu fumé aux herbes ou au curry, ou en ajoutant des herbes ou des épices dans la préparation.

VERSION SANS SOJA

Remplacer le tofu par le même poids de légumineuses cuites et écrasées.

assiettes
de saison

Jardinière au lait de coco
et tempeh à la coriandre

Une recette qui bouscule un peu la traditionnelle jardinière de légumes au beurre et la fait voyager vers l'Indonésie, où elle s'associe au lait de coco et au tempeh. Un repas simple aux saveurs douces qui permet de gagner du temps sans faire l'économie du goût.

JARDINIÈRE

• 650 g de pommes de terre nouvelles • 450 g de carottes nouvelles • 250 g de petits pois frais • 400 ml de lait de coco • 2 c. à s. de ciboulette ciselée • 1 bouquet de coriandre

Cuire les pommes de terre et les carottes à la vapeur pendant environ 15 minutes. Ajouter les petits pois 5 minutes avant la fin de la cuisson. Dans une casserole, verser le lait de coco, faire chauffer à feu moyen et mélanger pour que le lait présente une texture bien homogène. Assaisonner. Ajouter les légumes et mélanger. Ajouter la ciboulette ciselée. Retirer les tiges de la coriandre et hacher les feuilles.

TEMPEH

• 300 g de tempeh • 2 c. à s. d'huile d'olive • 1 c. à s. de tamari

Couper le tempeh en dés, le faire revenir à feu vif dans l'huile d'olive pendant quelques minutes. Quand il commence à dorer ajouter la coriandre et le tamari, puis cuire quelques minutes supplémentaires. Rectifier l'assaisonnement selon votre goût. Servir les deux préparations chaudes ensemble.

ASTUCE GOURMANDE

Transformer votre jardinière en macédoine ultra-gourmande. Pour cela, mélanger un peu de moutarde de Dijon à votre reste de jardinière au lait de coco préalablement passée au réfrigérateur.

VERSION SANS SOJA

Remplacer le tempeh par des dés de panisse ou de polenta, moins indonésien mais tout aussi délicieux !

QUICHE
aux asperges et salade de printemps

Cette recette de quiche aux asperges devient au printemps un vrai classique dans ma cuisine. En format tartelette, je la trouve très pratique à servir, à conserver et réchauffer, quand il en reste ! Sur la même base vous pourrez réaliser d'autres quiches avec vos légumes de saison préférés.

QUICHE

• 150 g d'asperges vertes • 2 gros oignons nouveaux • 1 c. à s. d'huile d'olive • 100 g de tofu ferme • 125 ml de crème de soja • 1 c. à s. de tahin • 2 c. à s. de tamari • 1/4 c. à c. de curcuma moulu • 1/2 c. à c. d'ail en poudre • 1 pâte brisée

Couper les pointes des asperges, réserver et couper les tiges en tronçons. Émincer les oignons nouveaux. Faire sauter les légumes dans une poêle à feu vif avec l'huile d'olive, pendant 5 minutes pour qu'ils soient bien dorés. Mixer le tofu avec la crème de soja, le tahin, le tamari et les épices. Assaisonner et incorporer les légumes à la préparation. Foncer 4 moules à tartelette de pâte brisée et cuire à blanc pendant 5 minutes. Répartir l'appareil à quiche et cuire à 150 °C pendant environ 20 minutes. La pâte doit être bien dorée.

SALADE PRINTANIÈRE

• 100 g de mélange de jeunes pousses • 1 bulbe de fenouil • 2 poignées de graines germées de chou rouge • Huile d'olive • Jus de citron pressé

Dans un saladier, mélanger les jeunes pousses avec le fenouil finement émincé à la mandoline. Ajouter les graines germées de chou rouge, un filet d'huile d'olive, un filet de jus de citron et assaisonner. Bien mélanger.

IDÉE GOURMANDE

Réaliser une quiche aux artichauts et poivrons grillés en été, au potimarron à l'automne, et aux poireaux en hiver. Cette recette sera également pratique pour recycler n'importe quel reste de légumes cuits.

ROULÉS D'AUBERGINE
et focaccia aux olives

*Est-il possible de trouver un aliment plus polyvalent que le tofu ?
Plutôt que de le cuire, on le transforme ici en fromage frais aux herbes
pour garnir des roulés d'aubergine, qui, accompagnés d'une focaccia
maison, prennent un petit air de vacances en Provence.*

ROULÉS D'AUBERGINE

• 2 grosses aubergines • Huile d'olive • 300 g de tofu ferme • 1 c. à s. d'huile d'olive
• 1 c. à s. de jus de citron • 1 c. à s. de crème de soja • 1 c. à s. de levure maltée
• 1/2 c. à c. d'ail en poudre • 1 c. à s. de ciboulette ciselée • 1 c. à s. de persil haché
• 1 c. à s. de menthe hachée

Couper les aubergines dans la longueur en fines tranches et les faire dorer dans une grande
poêle avec l'huile d'olive, quelques minutes de chaque côté. Émietter le tofu et le mélanger
dans un bol à la fourchette avec les autres ingrédients de la farce. Déposer une cuillerée de
farce au bord d'une tranche d'aubergine, puis rouler la tranche sur elle-même. Conserver au
frais.

FOCACCIA

• 12 g de levure de boulanger déshydratée • 1 c. à s. de sucre de canne • 200 ml d'eau tiède
+ 100 ml • 500 g de farine de blé • 1,5 c. à c. de sel • 50 ml d'huile d'olive • 50 g d'olives
vertes dénoyautées • Ail en poudre • 1 c. à s. herbes de Provence

Dans un bol, mélanger la levure avec le sucre et ajouter 200 ml d'eau tiède. Laisser reposer
10 minutes. Dans un saladier, mélanger la farine avec le sel. Former un puits. Ajouter le
mélange eau et levure, mélanger à la fourchette, ajouter l'huile d'olive puis mélanger de
nouveau. Ajouter progressivement 100 ml d'eau tiède supplémentaire. Fariner un plan de
travail et pétrir 5 bonnes minutes avec les mains. Laisser reposer 15 à 30 minutes à 25
°C pour que la pâte double de volume. Sur une plaque recouverte de papier cuisson, étaler
grossièrement la pâte sur environ 15 x 25 cm puis la piquer avec les olives dénoyautées.
Saupoudrer d'ail et d'herbes de Provence, puis poivrer et arroser d'huile d'olive. Répartir en
étalant avec les mains. Cuire dans un four préchauffé à 200 °C pendant 15 à 20 minutes.
Mettre un peu d'eau dans la lèchefrite pour éviter que le pain ne soit sec à l'extérieur.

salaDe De Pois CHicHes
et petit épeautre

L'association céréales et légumineuses nous est si souvent recommandée qu'on en oublie qu'elle peut avant tout être une combinaison gourmande ! Pois chiches rôtis aux épices, grenade croustillante sous la dent, poivrons presque confits, cette salade idéale pour les pique-niques séduira dès la première bouchée.

• 200 g de petit épeautre • 1 grenade • 225 g de pois chiches cuits • 2 poivrons jaunes
2 c. à s. d'huile d'olive • 1 c. à c. de coriandre moulue • 1 c. à c. de thym séché
• 1 c. à c. de graines de cumin • 200 g de tomates cerises • 1/2 bouquet de basilic

Cuire le petit épeautre à l'eau pendant environ 20 minutes puis l'égoutter. Couper la grenade en quatre et séparer les grains en immergeant le fruit dans l'eau : l'opération sera plus facile et moins salissante. Dans un plat, mélanger les pois chiches et les poivrons coupés en lamelles. Ajouter l'huile d'olive et les épices puis mélanger. Rôtir 15 minutes au four à 200 °C et réserver. Couper les tomates cerises en quartier, hacher le basilic. Mélanger le petit épeautre cuit, les pois chiches et poivrons, les tomates et le basilic dans un saladier. Ajouter la grenade, assaisonner selon votre goût et bien mélanger. Servir avec un filet de jus de citron ou de la sauce sésame (Voir page 62).

TEMPEH & BUTTERNUT
au sirop d'érable et cornbread

Le pain de maïs, très populaire outre-Atlantique, a l'avantage de ne pas nécessiter de temps de levée. Une recette idéale pour les pénuries de pain et qui s'accorde à merveille avec les saveurs très canadiennes de cette assiette.

CORNBREAD

• 400 ml de lait de soja • 2 c. à c. de vinaigre de cidre • 4 c. à s. d'huile de tournesol désodorisée • 100 g de farine d'épeautre • 150 g de farine de maïs • 100 g de polenta • 1/2 c. à c. de sel • 10 g de poudre à lever • 60 g de cranberries séchées

Mélanger le lait, le vinaigre et l'huile au fouet dans un saladier jusqu'à ce que le mélange soit bien mousseux. Mélanger les farines, la polenta, le sel et la poudre à lever et ajouter en deux fois au mélange humide. Ajouter les cranberries. Chemiser un moule de 20 x 25 cm avec du papier cuisson et verser la préparation. Cuire au four 25 minutes à 180 °C.

TEMPEH

• 300 g de tempeh fumé • 3 c. à s. de sirop d'érable • 3 c. à s. de tamari • 1,5 c. à s. d'huile

Couper le tempeh en gros dés. Mélanger le tamari et sirop d'érable dans un petit plat et y faire mariner le tempeh pendant 30 minutes. Faire dorer à la poêle, à feu moyen avec l'huile, pendant 10 minutes environ en retournant régulièrement les morceaux.

BUTTERNUT

• 1 courge butternut d'un kilo • 3 c. à s. d'huile d'olive • 4 c. à s. de sirop d'érable • 2 c. à s. de sauce Worcestershire vegan • 2 gousses d'ail en purée

Couper la courge butternut en deux dans sa hauteur, évider les graines. Couper de nouveau en deux dans la hauteur. Puis couper chaque quart de butternut en 4 lamelles. Masser le butternut avec l'huile d'olive dans un grand plat rectangulaire. Disposer les lamelles de butternut peau contre le plat, couvrir de papier cuisson et cuire 20 minutes au four à 180 °C. Mélanger le sirop d'érable, la sauce Worcestershire, et l'ail. Sortir le plat du four, retirer le papier cuisson et badigeonner les lamelles de butternut avec toute la marinade, puis récupérer avec précaution le mélange huile-marinade dans un bol et inclinant légèrement le plat. Badigeonner de nouveau avec la moitié de la marinade seulement. Cuire 10 minutes au four. Répartir le reste de la marinade, saler et cuire de nouveau 15 minutes.

VARIANTE

On peut aussi utiliser du tempeh nature et ajouter 1/2 c. à c. de *liquid smoke* dans la marinade pour le goût fumé.

TOURTE AUX CHAMPIGNONS
et salade d'automne

Riches en protéines, les champignons sont particulièrement appréciés pour remplacer la viande et se révèlent parfaits pour confectionner cette tourte automnale. Le mélange tofu soyeux et polenta vient ici remplacer l'œuf et lier la farce.

TOURTE

• 250 g de champignons de Paris • 2 oignons • 1 gousse d'ail • 3 c. à s. d'huile d'olive
• 2 c. à c. de thym séché • 400 g de tofu soyeux • 1 c. à c. de tamari • 3 c. à s. de polenta
• 2 pâtes brisées • 2 c. à s. de lait végétal

Émincer les champignons, les oignons et l'ail. Les faire revenir à feu vif pendant 5 minutes avec l'huile d'olive dans une poêle. Ajouter le thym et le tofu soyeux écrasé. Incorporer le tamari et la polenta, ajuster l'assaisonnement et cuire 2 à 3 minutes avant de réserver. Foncer un moule à tourte avec une des pâtes et cuire à blanc à 150 °C pendant 10 minutes. Garnir avec la farce aux champignons et recouvrir de la deuxième pâte, ou réaliser un quadrillage avec des bandes de pâtes. Appliquer le lait végétal sur le dessus pour dorer. Cuire 40 minutes environ à 150 °C.

SALADE

• 6 endives • 1 pomme • 1 poignée de noix • 1 poignée de cranberries • 1 filet d'huile de noix • 1 filet de vinaigre de cidre

Émincer les endives et couper la pomme en dés, mélanger avec les noix concassées, les cranberries, l'huile et le vinaigre et assaisonner. Bien mélanger.

IDÉE GOURMANDE

Pas fans des champignons ? Réaliser une tourte aux poireaux et topinambours, elle sera tout aussi riche en goût.

VERSION SANS SOJA

Remplacer le tofu soyeux par un bol d'écrasé de pommes de terre mélangé à une brique de crème d'avoine ou de riz.

COUSCOUS
aux légumes d'hiver

Le couscous aux légumes est un plat complet souvent cité comme exemple d'une bonne combinaison de céréales et légumineuses. Mais le couscous est avant tout un mets convivial, simple, à l'allure un peu rustique mais aux parfums si raffinés qu'il est même devenu un des plats préférés des Français.

• 450 g de butternut épluché • 250 g de panais épluché • 400 g de pommes de terre épluchées • 1 oignon • 4 gousses d'ail • 4 c. à s. d'huile d'olive • 3 c. à s. de ras el hanout • Harissa • 400 g de semoule de blé moyenne • 100 g de pois chiches cuits • 30 g de raisins secs

Couper les légumes et les pommes de terre en morceaux de taille moyenne. Émincer l'oignon et l'ail. Dans une sauteuse, faire revenir les légumes, les pommes de terre, l'ail et l'oignon avec l'huile d'olive à feu moyen pendant 5 minutes. Ajouter les épices, bien mélanger et cuire quelques minutes supplémentaires. Couvrir d'eau et cuire à feu doux jusqu'à ce que les légumes soient tendres. Pendant ce temps, cuire la semoule à la vapeur ou en la mélangeant avec la même quantité d'eau bouillante. Y ajouter un filet d'huile d'olive et égrener à la fourchette. Ajouter les pois chiches et les raisins secs, puis assaisonner.

IDÉE GOURMANDE

Pour un couscous *royal* servir avec les boulettes de tofu (Voir page 34) et des morceaux de saucisses végétales épicées.

VARIANTES

Cette recette fonctionne évidement avec d'autres légumes d'hiver. Remplacer la courge butternut par une courge de votre choix (potimarron, courge musquée, patidou...) et le panais par un autre légume racine (topinambour, céleri rave, patate douce...). Pour un couscous version été penser aux cœurs d'artichauts, aux courgettes ou aux aubergines.

POTIMARRON FARCI

Les courges farcies font partie de ces petits plaisirs de l'hiver dont on se ne lasse jamais. Le quinoa se transforme ici en farce, agrémentée de marrons et de noix. À servir comme un plat complet ou comme accompagnement.

- 1 potimarron d'environ 1,3 kg • 2 c. à s. d'huile d'olive • 250 g de quinoa cuit
- 2 échalotes • 1 gousse d'ail • 150 g de marrons au naturel • 50 g de noix de Grenoble
- 50 g de raisins secs • 1 c. à c. de coriandre moulue • 1 c. à c. de thym séché
- 1/2 c. à c. de cannelle moulue • 1/2 c. à c. de muscade moulue • 2 c. à s. de tamari
- 1 c. à s. de coriandre ciselée

Bien laver le potimarron et le mettre au four en entier, à 180 °C pendant 15 minutes. Dans une grande poêle, faire chauffer l'huile d'olive à feu moyen, y faire sauter le quinoa, les échalotes et l'ail finement émincés. Ajouter les marrons émiettés, les noix concassées, les raisins et les épices. Cuire 5 minutes. Ajouter le tamari, la coriandre et poivrer. Cuire quelques minutes supplémentaires. Sortir le potimarron du four, laisser tiédir, puis le couper en deux. Évider la partie centrale avec les graines. Remplir chaque moitié de potimarron de farce au quinoa. Placer dans un plat et cuire 5 bonnes minutes au four. Couper chaque demi-potimarron en 2 ou 4 parts et servir.

IDÉE GOURMANDE

Une recette parfaite pour les fêtes, accompagnée d'une crème forestière aux champignons.

LINGUINES AUX HERBES
aux herbes et haricots blancs
à la tomate

Pâtes et haricots blancs sont généralement associés à la cuisine du pauvre. Aujourd'hui la modeste cucina povera italienne devient le nouveau chic en matière de gastronomie. On redécouvre les plaisirs simples d'une cuisine nourrissante, riche en ingrédients végétaux.

HARICOTS À LA TOMATE

• 1 oignon • 3 gousses d'ail • 3 c. à s. d'huile d'olive • 1 c. à c. de thym séché • 400 g de haricots blancs cuits • 3 c. à s. de vin blanc • 4 tomates • 1 c. à c. de tamari • 3 c. à s. de coulis de tomate

Émincer l'oignon et l'ail, faire dorer avec l'huile d'olive pendant 5 minutes dans une casserole à feu moyen. Ajouter le thym, les haricots et le vin blanc. Cuire quelques minutes et ajouter les tomates préalablement coupées en dés. Cuire environ 5 minutes à feu doux, ajouter le tamari ainsi que le coulis de tomate, et cuire encore quelques minutes.

LINGUINES AUX HERBES

• 350 g de linguines • 2 c. à s. d'huile d'olive • 3 c. à s. de basilic ciselé • 4 c. à s. de ciboulette ciselée • 2 c. à s. de persil ciselé • 250 ml de crème végétale • 2 c. à s. de vin blanc

Cuire les linguines dans un grand volume d'eau salée. Égoutter. Faire chauffer l'huile d'olive dans une poêle, ajouter les linguines et les herbes puis faire cuire quelques minutes à feu moyen. Ajouter la crème et le vin blanc, et cuire de nouveau quelques minutes. Assaisonner. Servir immédiatement avec les haricots à la tomate.

IDÉE GOURMANDE

Agrémenter les assiettes de quelques tomates cerises en quartier et herbes fraîches au moment de servir.

Galettes avoine-azukis
et poêlée aux shiitakés

Un plat sain, équilibré, réalisé en 15 minutes chrono. Qui a dit impossible ? Ces galettes peuvent être aussi réalisées à l'avance et congelées pour être sorties en cas de besoin.

GALETTES

• 225 g de haricots azuki cuits • 100 g de petits flocons d'avoine • 2 c. à s. de tamari
• 1 c. à c. de thym séché • 1/2 c. à c. d'ail en poudre

Dans un saladier, mélanger les azukis écrasés et les flocons d'avoine à la main, puis bien pétrir. Ajouter le tamari, le thym et l'ail en poudre et bien malaxer de nouveau. Former 4 galettes, les cuire à la poêle avec un peu d'huile végétale, quelques minutes de chaque côté à feu moyen.

POÊLÉE

• 400 g de haricots verts • 120 g de shiitakés • 1 gousse d'ail • 2 c. à s. d'huile d'olive

Cuire les haricots à la vapeur. Émincer les shiitakés et l'ail puis les faire sauter avec les haricots cuits dans l'huile d'olive pendant 5 minutes. Assaisonner et servir avec les galettes.

IDÉE GOURMANDE

Vous pouvez très bien transformer ces galettes en burgers ou en boulettes à cuire à la poêle ou au four. Ajoutez quelques épices et un peu de sauce tomate à la préparation, et vous obtiendrez une farce délicieuse !

VELOUTÉ DE POIVRON GRILLÉ
et tartines avocat-tempeh

Sublimez un simple dîner « soupe et tartine » en un véritable festival des saveurs grâce à ces recettes aux parfums ensoleillés. Et pourquoi pas les transformer en apéro dinatoire ? Verrines de velouté, minitoasts à la crème d'avocat et dés de tempeh. Vous n'avez plus qu'à choisir entre repas cocooning en famille et soirée entre amis.

VELOUTÉ

- 4 gros poivrons rouges • 1 oignon • 2 carottes • 3 pommes de terre moyennes
- 1 gousse d'ail • 3 c. à s. d'huile d'olive • 1/2 c. à c. de muscade moule
- 2 c. à s. de sirop d'érable

Couper les poivrons en deux et retirer pépins et pédoncules. Les faire griller au four, sous le grill, à 200 °C, peau vers le haut jusqu'à ce que cette dernière forme des cloques noires. Éplucher les poivrons et les couper en morceaux. Pendant que les poivrons grillent, éplucher et couper en petits morceaux l'oignon, les carottes et les pommes de terre. Les faire revenir dans un faitout avec l'huile d'olive à feu vif quelques minutes. Ajouter 1 litre d'eau et l'ail en morceau, cuire 2 à 3 minutes à feu vif puis baisser à feu moyen et cuire 7 à 8 minutes. Ajouter les poivrons, le sel, la muscade et le sirop d'érable et mixer.

TARTINES

- 8 tranches de pain de taille moyenne • Quelques tomates cerises

CRÈME D'AVOCAT À L'ORIENTALE

- 2 avocats mûrs à point • Le jus d'1/2 citron • 1/4 de c. à c. de cumin moulu
- 1/8 de c. à c. d'ail en poudre • 10 feuilles de menthe

TEMPEH AU ZAATAR

- 150 g de tempeh nature • 1 c. à c. d'huile d'olive • 2 c. à c. de zaatar

Couper l'avocat en dés et le mixer avec le jus de citron et les autres ingrédients. Réserver au frais. Couper le tempeh en lamelles, les faire dorer avec l'huile d'olive dans une poêle à feu moyen, pendant quelques minutes, ajouter le zaatar, saler et poivrer.
Tartiner les tranches de pain avec la crème d'avocat, y déposer quelques lamelles de tempeh et des morceaux de tomates cerises.

RAINBOW BOWL

Rainbow, veggie, healthy et même Buddha bowl, les noms ne manquent pas pour désigner le plat santé à la mode que l'on pourrait rapprocher du chirashi japonais ou du bibimbap coréen. Le principe ? Un bol de riz ou de quinoa surmonté de légumes crus ou cuisinés, éventuellement de tofu ou de tempeh et arrosé d'une sauce gourmande.

RAINBOW BOWL

• 150 g de quinoa • 100 g de tofu ferme • 40 g de shiitakés • 1 feuille de kale • 1 c. à c. d'huile d'olive • 3 c. à c. de tamari • 6 tomates cerises • 1/2 poivrons jaune • 1 carotte • 1 avocat

Rincer le quinoa et le cuire à l'eau. Égoutter. Couper de tofu en petits dés, émincer les shiitakés et hacher le kale, après avoir retiré la partie centrale de la feuille. Faire chauffer l'huile d'olive dans une grande poêle, et faire dorer le tofu, les shiitakés et le kale sans les mélanger pendant 5 minutes. Réserver les shiitakés et le kale, verser le tamari sur le tofu et cuire 1 minute supplémentaire. Couper les tomates cerises en quartier, la carotte en fines rondelles, le poivron et l'avocat en dés.

SAUCE SÉSAME AU CITRON

• 2 c. à s. de tahin • 2 c. à s. de jus de citron • 2 c. à s. d'eau • Sel, poivre

Dans un petit bol, mélanger le tahin et le jus de citron, ajouter l'eau et bien mélanger à la fourchette. Assaisonner. Répartir le quinoa dans deux bols, tasser légèrement. Répartir le tofu et les légumes sur le quinoa. Servir avec la sauce sésame.

IDÉE GOURMANDE

Ajouter sans modération graines de sésame, de tournesol, de courge et herbes fraîches pour agrémenter les bols.

VERSION SANS SOJA

Utiliser des dés de panisse à faire sauter de la même manière.

TEMPEH à La MOUTARDE
et polenta persillée

Nous aurions tort de réserver le tempeh aux recettes asiatiques ! Il se marie très bien à une sauce moutarde et se cuisine aussi facilement que le tofu. Son amertume lui donne ce petit caractère dont ses amateurs raffolent, mais elle peut être allégée en cuisant le tempeh quelques minutes à la vapeur avant de le cuisiner.

TEMPEH

• 200 g de tempeh nature • 1 c. à s. d'huile d'olive • 250 ml de crème végétale • 1 c. à s. de moutarde de Dijon • 2 c. à s. de moutarde à l'ancienne • 1 c. à s. de miso blanc

Couper le tempeh en dés, le faire dorer à la poêle, à feu moyen, pendant 5 minutes avec l'huile d'olive. Dans un bol, mélanger la crème, la moutarde et le miso, assaisonner. Verser sur le tempeh et cuire quelques minutes.

POLENTA

• 600 ml de lait végétal • 1 gousse d'ail • 1/4 de c. à c. de sel • 100 g de polenta • 3 c. à s. de persil haché • 1 c. à s. d'huile d'olive

Dans une casserole, mélanger le lait avec l'ail réduit en purée et le sel. Ajouter la polenta et le persil, mélanger au fouet et cuire 5 bonnes minutes à feu moyen. Quand la polenta prend la consistance d'une purée, incorporer l'huile d'olive. Servir les deux préparations ensemble sans attendre.

VERSION SANS SOJA

Utiliser des lamelles de seitan ou des morceaux de panisse.

salade de pâtes
aux légumes grillés et tofu aux herbes

Avec ses petits légumes grillés et son tofu aux herbes mariné façon feta, cette salade de pâtes a un je ne sais quoi qui vous fait voyager avec seulement quelques ingrédients que l'on a facilement sous la main.

SALADE DE PÂTES

• 200 g de petites pâtes type risoni • 1 poivron rouge • 1 poivron jaune • 1 courgette
• 1 c. à s. d'huile d'olive • 5 tomates séchées • 2 c. à s. de menthe ciselée

TOFU MARINÉ

• 200 g de tofu aux herbes • 1 c. à s. d'huile d'olive • 2 c. à s. de jus de citron pressé • Sel, poivre

Cuire les pâtes dans une casserole d'eau salée, rincer sous l'eau froide et égoutter. Émincer les poivrons et la courgette, puis les faire griller dans une poêle à feu vif avec l'huile d'olive. Réserver. Émincer finement les tomates séchées. Couper le tofu en dés et le mélanger dans un bol avec l'huile et le jus de citron, saler et poivrer. Laisser mariner 30 minutes. Mélanger les légumes grillés, les tomates séchées et la menthe avec les pâtes dans un saladier. Ajouter le tofu et sa marinade. Rectifier l'assaisonnement.

IDÉE GOURMANDE

Cette salade sera parfaite l'été accompagnée d'aubergines grillées ou de tomates à la provençale. Pour encore plus de saveurs, glisser une ou deux cuillerées de pesto ou tapenade vegan au moment de mélanger les ingrédients.

CURRY DE LÉGUMES D'ÉTÉ
et dhal de lentilles corail

Chez moi le curry c'est le plat à tout faire, idéal pour recycler les quelques légumes qui trainent, un reste de tofu, de pois chiches... C'est aussi mon option préférée pour réaliser une assiette riche et colorée en très peu de temps.

CURRY

• 1 oignon • 1 gousse d'ail • 1 aubergine • 1 poivron • 3 c. à s. d'huile d'olive • 2 c. à c. de curcuma moulu • 1 c. à c. de coriandre moulue • 1 c. à c. de cumin moulu • 1/2 c. à c. de cardamome moulue • 1 c. à c. de fenugrec moulu • 2 c. à c. de tamari • 400 ml de lait de coco • Sel, poivre • 1 c. à s. de feuilles de coriandre ciselées

Émincer l'oignon et l'ail et couper les légumes en morceaux de taille moyenne. Faire sauter avec l'huile d'olive à feu vif quelques minutes, ajouter les épices puis cuire à feu moyen environ 5 minutes. Ajouter le tamari puis le lait de coco et cuire à feu doux jusqu'à ce que les aubergines soient fondantes. Assaisonner et ajouter la coriandre juste avant de servir.

DHAL

• 200 g de lentilles corail • 2 échalotes • 1 c. à s. d'huile d'olive • 500 ml de bouillon de légumes • 1/2 c. à c. de garam massala • 20 cl de crème de riz • 2 c. à s. de coulis de tomate • Sel, poivre

Dans une casserole, faire revenir les lentilles avec les échalotes dans l'huile d'olive à feu vif quelques minutes. Ajouter le bouillon et le garam massala et cuire 15 minutes à feu moyen. Ajouter la crème et le coulis et cuire encore 5 minutes. Assaisonner et servir.

VARIANTE

Remplacer les épices par 2 c. à c. de pâte de curry thaï et servir avec des cacahuètes et des noix de cajou concassées. Dans cette version, le riz nature remplace idéalement le dhal.

MIJOTÉ DE LENTILLES
et petits légumes

Qui a osé dire que les lentilles n'étaient pas glamour ? Cuisinées avec des légumes doux, légèrement sucrés ou très parfumés comme le topinambour, elles deviennent gourmandes à souhait et risquent bien de s'inviter à votre table plus souvent.

• 1 oignon • 3 gousses d'ail • 2 c. à s. d'huile d'olive • 250 g de lentilles vertes • 1 grosse patate douce • 300 g de topinambours • 1 poireau • 800 ml de bouillon de légumes

Émincer finement l'oignon et l'ail et faire suer dans une casserole à feu moyen avec l'huile d'olive. Ajouter les lentilles ainsi que la patate douce et les topinambours épluchés et coupés en dés. Ajouter le poireau coupé en rondelles et cuire quelques minutes. Couvrir avec le bouillon et cuire environ 30 minutes. Les légumes doivent être fondants et les lentilles encore fermes.

IDÉE GOURMANDE

Pour un repas d'hiver tout doux, accompagner d'une soupe de carotte et de frites de céleri rave rôties au four.